손오공의 한자 대탐험

마법천자문

2 솟아라! 뿔 각

角

아울북

감수의 글

한자를 늘 접하는 저 같은 사람에게 요즘처럼 한자교육에 대한 관심이 커지는 것은 반가운 일입니다. 그러나 지루한 암기 위주의 교육 방법이 도리어 한자에 대한 부정적인 인식만 키우는 것은 아닌지 걱정이 앞서기도 합니다.

이러한 현실에서 《마법천자문》의 출간은 매우 환영할 만한 일입니다. 우선 한자를 어린이들이 좋아하는 마법과 결합시킨 기획 아이디어가 돋보입니다.

그리고 그림(이미지)으로부터 비롯된 한자의 특성을 잘 살려서, 한자의 소리와 뜻과 모양을 한꺼번에 익히는 이미지 학습의 원리를 구현한 것도 뛰어납니다.

무엇보다도 어린이들에게 친근한 손오공의 좌충우돌 신나는 모험 이야기 속에서 한자를 재미있고 자연스럽게 익힐 수 있게 한 것이 이 책의 가장 큰 특징입니다. 한자 학습에 대한 긍정적인 경험은 어린이들이 앞으로 누가 시키지 않아도 한자를 스스로 공부할 수 있는 바탕을 마련해 줄 수 있기 때문입니다.

많은 어린이들이 이 책 《마법천자문》을 통해 이러한 좋은 경험을 함께 만들었으면 좋겠습니다.

서울대학교 사범대학 중등교육연수원
중국어과 주임교수 김창환

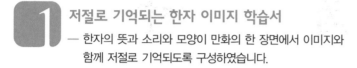

이 책의 특징

1 저절로 기억되는 한자 이미지 학습서

— 한자의 뜻과 소리와 모양이 만화의 한 장면에서 이미지와 함께 저절로 기억되도록 구성하였습니다.

2 암기 스트레스 없이 저절로 이루어지는 학습

— 암기식 한자학습을 극복하여 읽기만 해도 저절로 공부가 됩니다.

3 한자 공부에 자신감을 주는 적절한 학습량

— 한자능력검정시험 5,6,7,8급 한자 500자 중 사용빈도가 높은 100자를 뽑아 권당 20자씩 총 5권으로 엮어 한자에 대한 자신감을 주고 원리를 이해하도록 구성하였습니다.

▶ 한자의 소리와 뜻과 모양을 마법이 펼쳐지는 장면에서 한 번에 익히기

4 알찬 한자 공부를 위한 체계적인 학습 페이지

— 각 장에서 새롭게 등장한 한자를 체계적으로 학습할 수 있도록 매 장마다 학습 페이지를 별도로 추가하였습니다.

한자가 나왔던 장면 ·········

한자의 모양, 소리, 뜻 ·········

쓰기 연습장 ·········

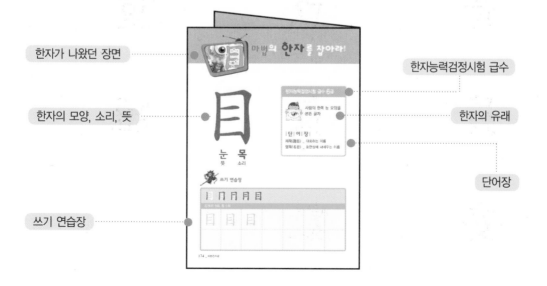

········· 한자능력검정시험 급수

········· 한자의 유래

········· 단어장

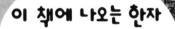

이 책에 나오는 한자

▶ 이 책에는 아래의 **20**자가 반복적으로 등장합니다.

足
한자능력검정시험 급수 **7**급
발 족 17p, 26p, 31p

角
한자능력검정시험 급수 **6**급
뿔 각 21p, 27p

寸
한자능력검정시험 급수 **8**급
마디 촌 33p, 44p

答
한자능력검정시험 급수 **7**급
대답할 답 35p, 45p, 145p

內
한자능력검정시험 급수 **7**급
안 내 50p, 53p, 58p

外
한자능력검정시험 급수 **8**급
바깥 외 55p, 59p

活
한자능력검정시험 급수 **7**급
살 활 62p, 74p

生
한자능력검정시험 급수 **8**급
날 생 69p, 75p

九
한자능력검정시험 급수 **8**급
아홉 구 88p, 92p

石
한자능력검정시험 급수 **6**급
돌 석 85p, 93p, 119p

白
한자능력검정시험 급수 **8**급
흰 백 98p, 108p, 124p

電
한자능력검정시험 급수 **7**급
번개 전 101p, 109p, 168p

青
한자능력검정시험 급수 **8**급
푸를 청 121p, 126p

魚
한자능력검정시험 급수 **5**급
고기 어 118p, 127p

重
한자능력검정시험 급수 **7**급
무거울 중 136p, 140p

貝
한자능력검정시험 급수 **3**급
조개 패 138p, 141p

長
한자능력검정시험 급수 **8**급
길 장 150p, 154p

短
한자능력검정시험 급수 **6**급
짧을 단 148p, 155p

安
한자능력검정시험 급수 **7**급
편안할 안 170p, 174p

數
한자능력검정시험 급수 **7**급
셀 수 161p, 175p

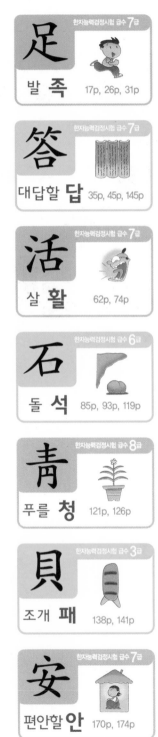

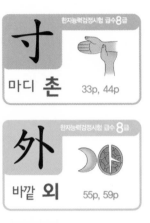

차 례

등장인물

손오공

화과산 원숭이족의 두목.
싸움과 승부밖에 모르는 것 같지만
자신의 부하인 부두목을 살리기 위해
혼신의 힘을 다하는 의리파 주인공.

염라대왕

지옥을 다스리는 왕.
삶과 죽음이 기록된 생사부를 관리하며
손오공에게 여의필의 존재를 알려준다.

붉은뱀

구미호

한자마법을 통해 등장하는 괴물들. 무시무시한 모습으로 손오공을 위협한다.

너무나심심해
용궁의 수문장

아무나오지마
극락의 수문장

아무나와라
지옥의 수문장

손오공이 들어오는 것을 막으려고 하지만 손오공에게 당하기만 한다.

용왕

바다를 다스리는 왕.
속임수를 써보지만 손오공에게 본의아니게
여의필을 빌려준다.

삼장

손오공과 함께 마법천자문의
비밀을 풀어가는 여주인공.
부두목을 살리기 위해 자신의
기력까지 나눠주는 마음씨 착한 소녀.

식인조개   식인어

한자마법을 통해 등장하는 괴물들. 무시무시한 모습으로 손오공을 위협한다.

혼돈장군   혼세마왕   말세장군

마법천자문 조각을 모으기 위해 나쁜 짓을 서슴지 않는 악당 무리들.
앞으로 마법천자문을 두고 손오공과 일대 결전을 벌인다.

마법의 한자를 잡아라!

足

발　족

뜻　소리

한자능력검정시험 급수 7급

사람의 몸통(口)과
다리(止)의 합성자로
다리, 발을 의미함

| 단 | 어 | 장 |

수족(手足) – 손과 발
부족(不足) – 어떤 한도에 모자람,
넉넉하지 않음

 쓰기 연습장

足足足足足足足

足(발 족)부의 0획 총 7획

足	足	足				

角

뿔 **각**
뜻 소리

한자능력검정시험 급수 **6급**

짐승의 뿔 모양을 본뜬 글자

|단|어|장|

각도(角度) - 각의 크기

직각(直角) - 서로 수직인 두 직선이
이루는 각, 90도의 각

쓰기 연습장

角 角 角 角 角 角 角

角(뿔 각)부의 0획 총 7획

角	角	角			

寸 마디 촌 一 寸 寸

答 대답할 답　ノ ト ケ ㅆ ㅆ 竺 竺 竺 竺 签 答 答

寸

마디 촌
뜻　소리

한자능력검정시험 급수 8급

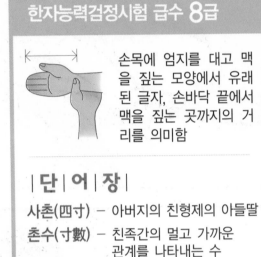

손목에 엄지를 대고 맥을 짚는 모양에서 유래된 글자, 손바닥 끝에서 맥을 짚는 곳까지의 거리를 의미함

| 단 | 어 | 장 |

사촌(四寸) – 아버지의 친형제의 아들딸
촌수(寸數) – 친족간의 멀고 가까운 관계를 나타내는 수

쓰기 연습장

寸 寸 寸

寸(마디 촌)부의 0획 총 3획

寸　寸　寸

대답할 답
뜻 · 소리

한자능력검정시험 급수 7급

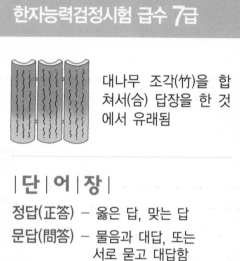

대나무 조각(竹)을 합쳐서(合) 답장을 한 것에서 유래됨

|단|어|장|

정답(正答) - 옳은 답, 맞는 답
문답(問答) - 물음과 대답, 또는 서로 묻고 대답함

쓰기 연습장

答答答答答答答答答答答答

竹(대 죽)부의 6획 총 12획

答	答	答				

뜬금없이 마법천자문
조각이라니.
여기 그런 게 어디 있어?

얘기하자면 길어지지만.
원래 큰 게 정상이야.
부두목이 누워 있는 돌침대가
마법천자문 조각이야.

뭐?

이 큰 게 마법천자문
조각이라는 걸
믿으란 거야?

이 돌은 원래
내가 침대로
쓰던 것인데…

끄덕

아, 맞아. 보리도사님.
부두목 상태 좀 봐주세요.

그러자꾸나.

内

안 내
뜻   소리

집(冂) 안으로 들어간
다(入)는 뜻에서 유래
된 말

|단|어|장|
내외(内外) – 안과 밖
교내(校内) – 학교 안

쓰기 연습장

内内内内

入(들 입)부의 2획 총 4획

内	内	内			

外

바깥 **외**
뜻 소리

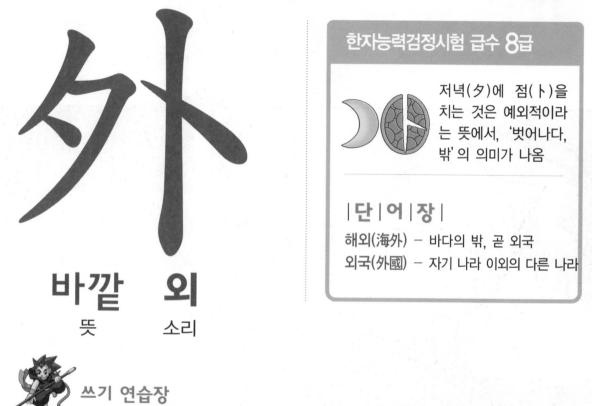

저녁(夕)에 점(卜)을 치는 것은 예외적이라는 뜻에서, '벗어나다, 밖'의 의미가 나옴

|단|어|장|

해외(海外) - 바다의 밖, 곧 외국
외국(外國) - 자기 나라 이외의 다른 나라

쓰기 연습장

外 外 外 外 外

夕(저녁 석)부의 2획 총 5획

外	外	外			

活살 활 ` ` ` 氵 氵 汽 活 活 活

活

살 활

뜻 소리

한자능력검정시험 급수 7급

유창하게 말(舌)하는 모습이 물(氵) 흐르는 것 같다는 뜻에서 유래된 말

|단|어|장|

생활(生活) – 살아서 활동함, 생계를 유지하여 살아감

활동(活動) – 힘차게 몸을 움직임

쓰기 연습장

活活活活活活活活活

氵(물 수)부의 6획 총 9획

活	活	活				

生

날 생
뜻 소리

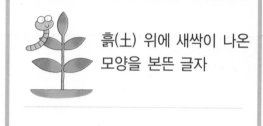

흙(土) 위에 새싹이 나온
모양을 본뜬 글자

|단|어|장|

생일(生日) - 태어난 날, 탄생일
생명(生命) - 살아 있기 위한 힘의
　　　　　　　바탕이 되는 것, 목숨

쓰기 연습장

生 生 牛 牛 生

生(날 생)부의 0획 총 5획

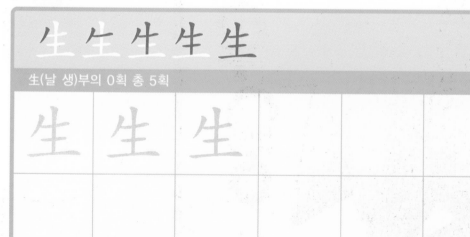

石 돌 석 一 厂 厂 石 石

마법의 한자를 잡아라!

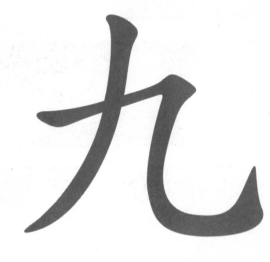

아홉 구
뜻 　 소리

한자능력검정시험 급수 8급

원래는 사람의 팔꿈치 모양을 본떴는데, 뜻이 바뀌어 숫자 9를 의미하는 글자가 됨

|단|어|장|

구구단(九九段) – 곱셈에 쓰는 기초 공식

십중팔구(十中八九) – 열 가운데 여덟, 아홉이 그러하다는 뜻으로 거의 예외 없이 그러할 것이라는 추측을 나타내는 말

 쓰기 연습장

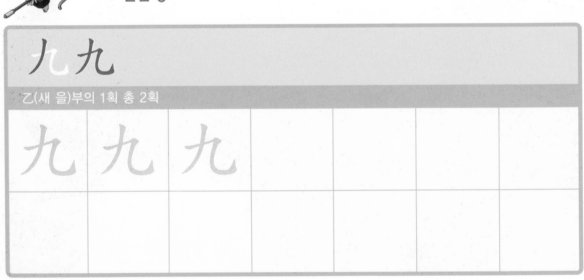

九 九

乙(새 을)부의 1획 총 2획

石

한자능력검정시험 급수 **6급**

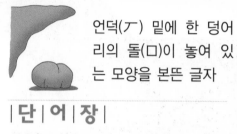

언덕(厂) 밑에 한 덩어
리의 돌(口)이 놓여 있
는 모양을 본뜬 글자

|단|어|장|

석유(石油) − 천연으로 지하에서 솟아나는
물질로 불에 잘 타며, 각종 연료로 쓰임

대리석(大理石) − 석회암이 높은 열과 압력
을 받아 굳어진 암석으로 흰 빛깔의 순수한
것은 건축용 석재 등으로 쓰임

돌   석
뜻   소리

쓰기 연습장

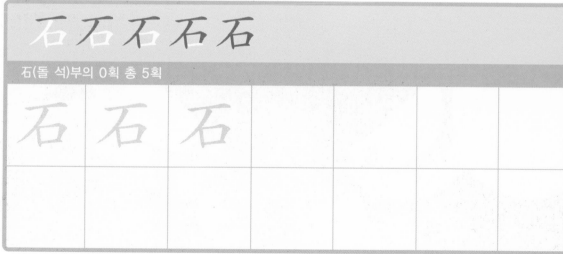

石 石 石 石 石

石(돌 석)부의 0획 총 5획

石   石   石

ㅇㅇㅇ...

텁석

내 말 잘 듣거라.
손오공.

생사부에 올려져 있는
이름과 수명은

이미 정해진 것이라
함부로 바꿀 수가 없다.

白

흰   백
뜻   소리

한자능력검정시험 급수 8급

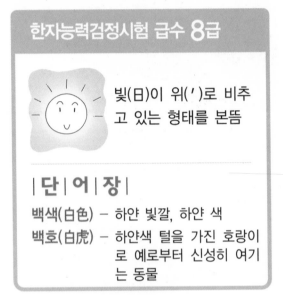

빛(日)이 위(′)로 비추고 있는 형태를 본뜸

|단|어|장|

백색(白色) - 하얀 빛깔, 하얀 색
백호(白虎) - 하얀색 털을 가진 호랑이로 예로부터 신성히 여기는 동물

쓰기 연습장

白 白 白 白 白

白(흰 백)부의 0획 총 5획

白　白　白

電

번개 전

뜻 소리

한자능력검정시험 급수 7급

번개 칠 때의 섬광을 본 뜬 글자로, 비 우(雨)와 결합되어 번개를 의미함

|단|어|장|

전기(電氣) - 전등이나 전자제품, TV 등을 작동시키는 에너지

전철(電鐵) - 전기 철도의 준말로 지하철을 이르기도 함

쓰기 연습장

雨(비 우)부의 5획 총 13획

電	電	電				

青 푸를 청   一 十 キ 丰 主 青 青 青

식인어, 하얘져라!
흰 백白!

이제 보인다.

하얗게
변했다.

이녀석, 거기에
있었구나!

白 흰백 ′ ′ 白 白 白

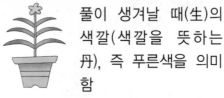

마법의 한자를 잡아라!

靑

푸를   청
뜻   소리

한자능력검정시험 급수 8급

풀이 생겨날 때(生)의 색깔(색깔을 뜻하는 丹), 즉 푸른색을 의미함

|단|어|장|

청산(靑山) - 초목이 우거진 푸른 산
청소년(靑少年) - 소년기에서 청년기로 접어드는 젊은이

 쓰기 연습장

靑 靑 靑 靑 靑 靑 靑 靑

靑(푸를 청)부의 0획 총 8획

靑	靑	靑				

魚

고기　　어

뜻　　　소리

한자능력검정시험 급수 **5급**

물고기의 모양을 본뜬
글자

|단|어|장|

대어(大魚) - 큰 물고기
어시장(魚市場) - 생선이나 조개류
　　　　　　　등을 거래하는 시장

쓰기 연습장

魚 魚 魚 魚 魚 魚 魚 魚 魚 魚

魚(고기 어)부의 0획 총 11획

魚	魚	魚				

重 무거울 중

重

무거울 중
뜻   소리

사람이 큰 자루를 멘 모습에서 '무겁다'의 의미가 유래됨

| 단 | 어 | 장 |

중요(重要)하다 – 소중하다는 뜻
중량(重量) – 무게

쓰기 연습장

重重重重重重重重重

里(마을 리)부의 2획 총 9획

重	重	重			

貝

조개 패
뜻   소리

한자능력검정시험 급수 3급

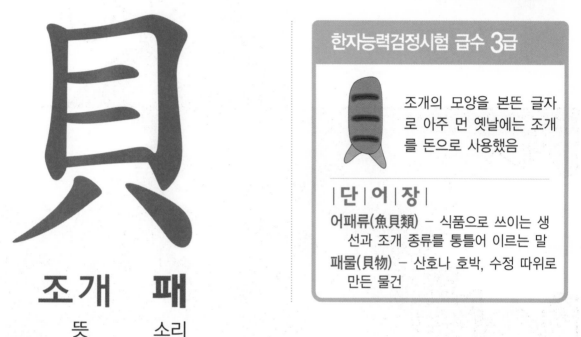

조개의 모양을 본뜬 글자로 아주 먼 옛날에는 조개를 돈으로 사용했음

|단|어|장|

어패류(魚貝類) – 식품으로 쓰이는 생선과 조개 종류를 통틀어 이르는 말

패물(貝物) – 산호나 호박, 수정 따위로 만든 물건

쓰기 연습장

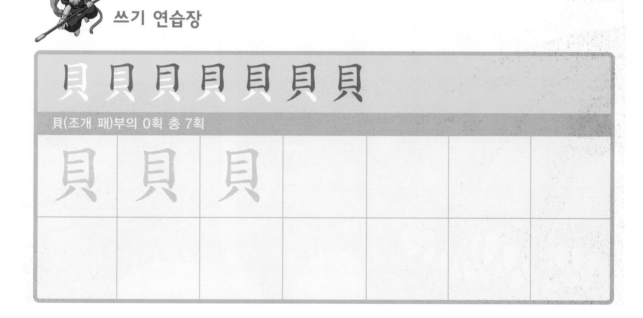

貝 貝 貝 貝 貝 貝 貝

貝(조개 패)부의 0획 총 7획

貝		貝		貝		

答 대답할 답

마법의 한자를 잡아라!

長

길 장
뜻 소리

한자능력검정시험 급수 **8급**

머리털이 긴 노인이 지 팡이를 짚고 서 있는 모양을 본뜬 글자

|단|어|장|

장남(長男) – 맏아들
장점(長點) – 가장 나은(좋은) 점

 쓰기 연습장

長 長 長 長 長 長 長 長

長(길 장)부의 0획 총 8획

長 長 長

短

짧을 단
뜻　　소리

사람의 팔다리 모양을 본뜬 矢와 높이가 낮은 나무 그릇인 豆의 합성자로, '사람의 키가 작다'의 의미를 가짐

|단|어|장|

단거리(短距離) - 짧은 거리

장단(長短) - 길고 짧음, 장점과 단점

쓰기 연습장

矢(화살 시)부의 7획 총 12획

너무 늦어 버렸어 _ 167

편안할 안 安

손오공과 염라대왕의 대결 그리고 여의필의 진짜 신비가 벗겨지는데…

3권에서 계속

安

편안할 안
뜻 소리

한자능력검정시험 급수 **7급**

집 안에 여자가 차분히 앉아 있는 모습에서 '편안하다, 안전하다'의 의미가 유래됨

|단|어|장|

안전(安全) – 위험하지 않음, 위험이 없음
안녕(安寧) – 만나거나 헤어질 때의 인사말

쓰기 연습장

安安安安安安

宀(집 면, 갓머리)부의 3획 총 6획

安	安	安			

數

셀 수
뜻 소리

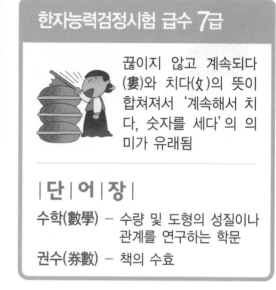

한자능력검정시험 급수 7급

끊이지 않고 계속되다(婁)와 치다(攵)의 뜻이 합쳐져서 '계속해서 치다, 숫자를 세다'의 의미가 유래됨

|단|어|장|

수학(數學) – 수량 및 도형의 성질이나 관계를 연구하는 학문

권수(券數) – 책의 수효

쓰기 연습장

數數數數數數數數數數數數數數數

攵(칠 복)부의 11획 총 15획

數	數	數			

손오공의 한자 대탐험

마법천자문

❷ 솟아라! 뿔각

글 · 그림 | 스튜디오 시리얼
감수 | 김창환

1판 1쇄 인쇄 | 2003년 11월 11일
1판 39쇄 발행 | 2004년 4월 26일

펴낸이 | 김영곤
본부장 | 김진철
기획편집 | 설완식 · 이승현 · 강유진
영업기획 | 김중현 · 안경찬 · 박성인 · 김진갑 · 박진모 · 이연정
북디자인 | design86 / 용은순
관리 | 이인규 · 이도형 · 최양진 · 고선미
제작 | 이종률 · 이영민

펴낸곳 | (주)북21 아울북
등록번호 | 제10-1965호
등록일자 | 2000년 5월 6일
주소 | 서울시 마포구 서교동 464-41 미진빌딩 4층(121-841)
　　　　경기도 파주시 교하읍 산남리 파주출판단지 17-7

전화 | 02-336-2100(마케팅 영업) | 031-955-2442(기획 편집)
팩시밀리 | 02-322-9181 | 031-955-2401
홈페이지 | http://www.magichanja.com

값 8,800원
ISBN 89-509-0605-8 77720
ISBN 89-509-0603-1(세트)